DE8H971203 —

Collection «J'écris et crie!»

LE RETOUR DES ENFANTS TERRIBLES

LE RETOUR DES ENFANTS TERRIBLES

Nouvelles et textes courts

Collection «J'écris et crie!»
LES ÉDITIONS DES INTOUCHABLES

LES ÉDITIONS DES INTOUCHABLES
20, 12ième avenue
Deux-Montagnes (Québec) J7R 3S1
Téléphone: (514) 623-9787

Mise en page et couverture: Le Trafiquant d'Images
Impression: Beautex

Dépôt légal: 1994
Bibliothèque nationale du Québec

Le but de la Collection «J'écris et crie!»

Les intouchables sont les hindous hors castes et nous avons décidé d'emprunter leur dénomination pour identifier le mouvement des jeunes et des moins jeunes, révoltés d'être exclus de la société.

La Collection «J'écris et crie!» n'est pas nécessairement une tribune politique, mais son but est de faire bouger les choses.

Au Québec, il y a environ 13% de chômeurs officiels, 15% d'assistés sociaux et des dizaines de milliers d'étudiants qui sont au cégep ou à l'université parce qu'ils n'ont pas de travail. À partir de ces chiffres, il est facile d'affirmer que plus d'une personne sur trois au Québec est sans emploi. Malgré la misère que cette situation occasionne, la complaisance règne. Les riches, qui nous gouvernent, se ferment les yeux devant les problèmes du monde, parce que pour eux tout va bien. Il est temps de leur mettre la réalité en plein visage! Si tu es un écrivain engagé, provocateur et sensible à la création d'un nouveau projet de société, nous avons besoin de tes textes.

La forme masculine est utilisée dans le seul but de ne pas alourdir le texte.

LES INTOUCHABLES

Finie la vie, enculeur

par François Patenaude

- Eh bien!, curé Lené. Lâchez-vous le et aidez-moi plutôt!

- Oui, bien sûr saint Pierre.

- Appelez-moi par mes autres titres: saint Pierre, c'est trop commun. Il y a trop de saints ici.

- D'accord Votre Saint Honoré.

- Lâchez-moi le saint, vous dis-je!

- Oui, bien sûr Votre... Premier Endoctriné.

- Voilà qui est mieux. Bon! Au travail! Alors, selon vous, cet homme est-il coupable d'avoir commis ce dont on l'accuse?

- Oui! Je viens à peine de terminer le visionnement de sa misérable vie et il est clair qu'il a péché. De plus, j'ai eu une illumination lors de la projection, confirmant ainsi hors de tout doute sa culpabilité, Votre Divine Circoncision.

- Eh bien soit! S'il est coupable, nous devrons donc sévir.

- Nous le devrons, Votre Vénérable Barbe.

- Si on lui faisait repeindre l'étoile du berger, elle ne guide plus personne aujourd'hui. Elle n'a pas assez d'éclat. Nous pourrions en profiter pour nous ajuster à la nouvelle édition du petit catéchisme et nous mettre au goût du jour.

- Pire que ça! Il lui faut une peine plus sévère encore, Votre Insubmersible Croyance!

- Tiens, je vais lui faire repeindre la voûte céleste au pinceau! Elle en a drôlement besoin, avec tout ce monoxyde de carbone qui me l'abîme.

- Jamais votre Inquantifiable Présence! C'est trop peu. Pas de menus travaux pour lui. Il lui faut une peine plus forte encore! Nous ne pouvons permettre que les sodomites du monde politique s'en tirent à si bon compte ici, après s'être lavé les mains sur terre, de leurs horreurs quotidiennes.

- Bien sûr! Bien sûr! Alors s'il mérite tant d'attentions, remettez-moi le résumé de son existence afin que je lui fabrique une peine sur mesure.

- Voilà, Fermier de la foi.

- Merci, Corps fertilisant.

Une fraction d'éternité plus tard...

- Eh bien!, cela serait-il pour lui un juste châtiment, curé?

- Il ne mérite pas d'autre châtiment, Votre Saint Siège, et je suis prêt à le jurer sur vos saints plombages.

- Combien de fois devrais-je vous adjurer de ne pas jurer, curé! Et de grâce, lâchez-moi les saints! Non mais lâchez-moi les saints!!

- Je jure de ne plus jurer.

- Curé, vous êtes né pour rester curé. Et ce n'est pas un compliment!

- Si c'est vous qui le dites...

- Vous êtes perspicace.

- Non, je suis père Lené.

- Suffit! Je suis prêt à rendre ma décision. Faites entrer l'accusé et les plaignants.

Ceux-là étaient déjà installés depuis un bon moment, quand l'accusé entra. Son dos était courbé, comme s'il portait toute la bêtise du monde sur ses frêles épaules. Il avançait à petits pas prudents, traînant ses pieds de lamentable façon sur les nuages. Même ici - où pourtant il était plus léger que l'air - il lui semblait difficile de se mettre en mouvement. C'est à regret qu'il avait dû renoncer à son immobilisme, le jour où il fut expulsé de l'utérus douillet de sa mère. Depuis lors, sa vie n'était plus qu'un irrépressible désir de revenir en arrière et d'arrêter le temps. Une envie de ne plus bouger le hantait en permanence et il ressentait le besoin d'étendre cette envie à la grandeur de l'univers. *Statu quo* aurait pu être son nom. Quand il était contraint d' avancer, il commençait par grimacer, puis y allait; toujours à reculons et dans le noir. Pour se guider, il se fiait à son long nez pointu. Il humait l'air du temps et se dirigeait du côté de l'air volatil de l'opinion publique et des sondages... mais seulement quand ça l'arrangeait.

Le *bouncer* des bonnes sœurs se racla la gorge et dit:

- Attendu qu'il a été prouvé hors de tout doute que l'accusé, monsieur Robot Bourricot, a bel et bien enculé - et ce, pendant toute la durée de sa vie politique - madame La Mouche et monsieur Le Peuple ici présents, il sera ,en raison de l'acte grave qu'il a posé, condamné à rôtir en enfer! Cependant, comme nous savons que son corps, à l'image de sa pensée, est si aride, qu'il en fait mourir d'ennui les cellules cancéreuses, nous avons jugé bon d'ajouter à sa peine, car pour lui, l'enfer,c'est de la petite bière. Il sera donc soumis aux tortures les plus raffinées tant et aussi longtemps qu'il n'aura pas répondu à une simple question. Rien que cela. Mais attention, si cet homme ne devait avoir qu'une qualité, ce serait cette obstination molle, cette force ridicule qui lui fait soulever des milligrammes, mais qui lui a tout de même permis de régner de son vivant. Même la meilleure volonté du monde se fracassait en mille miettes sur la carapace compacte de sa petitesse roulée en boule. L'obstination bétonnée, qu'il a tant utilisée pour se défiler, sera sa prison pour l'éternité. Monsieur l'accusé, nous vous forcerons à CHOISIR. Vous en aviez non seulement la possibilité, mais les moyens,et vous ne l'avez pas fait, nous vous y contraindrons donc! De plus, nous vous grefferons une colonne vertébrale, de sorte que vous serez enfin forcé de vous tenir debout. Vous ne pourrez plus marcher plié en deux, déchiré entre deux choix, hésitant entre la position de l'homme et celle du singe. Voilà, mon jugement est rendu, curé Lené, vous pouvez poser la question à l'accusé.

- Hum, hum... Monsieur Bourricot, d'après vous, est-il possible d'être vivant et d'être digne?

L'accusé répondit après un court moment:

- M'enfin, je ne peux pas répondre à cette question sans consulter, et puis pourquoi cette question et pas une autre? C'est un choix arbitraire. Puis j'aime mieux laisser refroidir les événements, me donner le temps de réfléchir.

- Donc, vous ne répondez pas à la question, c'est bien cela?

- Ce n'est pas si simple. Il ne faut pas oublier la conjoncture et les dossiers secrets de mon sous-ministre que je dois d'abord consulter. Sur ce, saint Pierre quitta son confortable nuage pour aller casser la croûte, toujours suivi du curé Lené qui marchait dans son saint sillage comme une aveugle marche dans les pas de son chien. Ils sifflèrent un ange livreur de pizza.

- Nous prendrons une large *all dressed* extra hostie, avec deux litres d'eau bénite. C'est excellent pour les problèmes de foie, ajouta saint Pierre, à voix basse à l'intention du curé.

- Sage décision Votre Jugement Dernier.

- Merci curé.

L'accusé, dont le dos était un peu plus voûté, ne bronchait pas. Aucune émotion ne se lisait sur son pitoyable visage. Il attendait les chiffres avant de se prononcer et se contentait, pour l'heure, de lisser ses cheveux luisants d'un geste lent et de repousser la lourde couette qui lui barrait le front dès qu'il clignait des cils. Ses yeux de merlan frit baignaient dans l'huile, fidèles à eux-mêmes. Deux anges éboueurs bien baraqués vinrent se saisir de sa personne.

- M'enfin, laissons parler les chiffres! Ne précipitons rien. Laissons les émotions de côté et appelons nos comptables! Vous faites une grossière erreur, je ne suis pas dangereux! Je ne suis rien...

Ses mots se perdirent enfin dans l'immensité du ciel.

Pelleter des nuages

par Nathalie Parent

Au sommet de l'Everest deux anges se rencontrent.

L'un est plus âgé que l'autre, et plus sage aussi. Ses ailes sont poivre et sel. Il vole sans faire de bruit, ses plumes effleurent la neige et de petites boules blanches roulent, puis dévalent la pente de la montagne. Inquiet, le vieil ange regarde en bas, sa vision faible le force à plisser les yeux. Le plus jeune ange l'interpelle:

- Bonjour!

- Bonjour!

- Ne vous en faites pas pour la neige, ça provoquera une petite avalanche mais rien de catastrophique

- Ce n'était pas volontaire, mes ailes se font lourdes et je suis plus faible qu'autrefois.

- Je sais bien, allons, ne vous inquiétez pas, il n'y a pas grand danger, car il n'y a pas âme qui vive ici.

- Oui, vous avez raison, jeune ange.

- Appelez-moi Nic. C'est le nom que j'ai gardé de ma dernière incarnation.

Nic, un peu songeur, lève le nez au ciel en ajoutant:

- ... Une belle vie...

- On les compte sur le bout de nos doigts, celles-là.

- Oui.

Un léger silence file entre eux. Puis le vieil ange se présente pour relancer la conversation:

- Moi, c'est Ange-Édouard.

- Enchanté.

- Tout le plaisir est pour moi.

Le jeune ange assis sur l'arête d'une pierre peigne ses ailes soigneusement. Ange-Édouard donne un coup d'aile, s'approche et demande:

- C'est la première fois que je vous vois ici, vous êtes nouveau?

- Oui.

- Vous êtes bien jeune pour être si haut.

- C'est la Commission d'enquête archangélique qui m'envoie.

- Ah bon! Mais pourquoi?

-Pour étudier l'impact géomorphologiques de la transmission des idées dans la sphère transcendante et multiorphique

Ange-Édouard regarde Nic d'un air perplexe.

- ... Et ça ce passe bien ?

- Ah, pas mal, pas mal... mais vous savez, ça pourrait toujours aller mieux.

- C'est une question de soleil, j'imagine. Moi quand il fait soleil...

- Oui, en quelque sorte, oui... de soleil ou de nuages... vous comprenez...

- Oui, ça dépend du point de vue où l'on se place.

- Le point de vue, oui, oui... mais à cette hauteur, c'est aussi une question d'altitude..

- Évidemment, l'oxygène se raréfie, donc la pensée est confuse et les nuages comme vous dites sont bas.

Nic insulté répond:

- Bas ! je n'ai jamais dis ça !

- Ah non!... j'avais cru pourtant...

- Jamais de la vie, nous sommes haut certes, mais est-ce à dire que les nuages sont bas?

- Je ...bien ... je ne sais pas. C'est difficile à dire... je ne vois pas vraiment où est le problème.

- Vous ne voyez pas où est le problème? Mais, le problème est majeur et que vous ne le voyiez pas ne signifie pas qu'il est inexistant, mon cher, qui que vous soyez. Sachez que vous touchez là la question essentiel de mon étude, question d'ailleurs sur laquelle tous les scientifiques sont en désaccord.

- ... Oui...oui, je comprends

- Mais non, vous ne comprenez pas, il n'y a justement rien à comprendre. Le fait est que le problème est très profond dans le cas présent. L'énigme se révèle complexe. À ce stade-ci, nous pourrions ne voir que la pointe de l'iceberg si nous nous attardions au processus dans son ensemble. Il faudrait toutefois élaborer une approche qui soit succincte tout en étant globalisante. Le rapport est antithétique soit, mais c'est là une considération d'ordre primaire sans conséquence et même aléatoire... à peine paradoxale, pour être plus exact. Il faut situer le paradigme, voyez-vous.

- Oui, oui...

- Et encore, je dis cela sous toute réserve, car c'est un peu présomptueux de ma part. Je m'en excuse. Pardonnez-moi.

Nic incline la tête en signe de pardon et Ange-Édouard le rassure.

- Non, non, ça va.

- Non, ça ne va pas... ça ne peut pas aller.. non... car voyez-vous, les présupposés n'ont jamais été très clairement présenté dans l'histoire.

- Quelle histoire ?

- Bien celle qui nous occupe.

- Oui, mais moi, je ne suis pas très occupé ces temps-ci.

- Ah non ? Eh bien! il faudrait voir.

- Voir quoi ?

Nic songe à sa réponse et marque un temps d'arrêt en fixant l'horizon sur lequel se découpent les sommets enneigés.

- Bien... ça dépend du point de vue où l'on se place.

- C'est vrai qu'il y a beaucoup de nuages aujourd'hui...

Comble de l'ironie

par Michel Brûlé

J'ai grandi à Carleton dans le comté de
Bonaventure, fief de Gérard D. Lévesque. Dans ma
famille, nous étions libéraux de père en fils. Pendant
des décennies, nous avons gagné nos élections.

Carleton n'est pas une grande ville, mais mon
père était un des hommes les plus importants de la
place. Il était propriétaire d'un centre de matériaux
de construction. Les affaires allaient moins bien
depuis quelques années. En Gaspésie, le taux de
chômage était très élevé et la construction fonctionnait au ralenti.

Nous étions trois frères dans la famille. Mon père
savait qu'il ne pouvait pas nous engager tous les
trois et la loi de l'ancienneté oblige: les deux plus
vieux travaillaient au centre. Cependant, mon
paternel ne voulait pas que je sois en reste. Il croyait
au système et étaient convaincu qu'avec une bonne
éducation, je réussirais à faire mon chemin.

J'ai terminé mon baccalauréat en administration
à l'Université du Québec à Rimouski. Comme

j'étais bilingue (condition *sine qua non,* selon mon père, pour réussir dans la vie),j'ai fait ma maîtrise à l'université McGill.

Mes diplômes en poche, j'avais envie de revenir vivre à Carleton. Comme la situation de l'emploi n'était toujours pas favorable, je me suis fait une raison en acceptant de travailler à Montréal. À ma grande surprise, toutes mes démarches pour m'y trouver un emploi se sont soldées par un échec. J'ai appelé mon père et dans le temps de le dire, Gérard D. Lévesque me trouvait un poste de fonctionnaire au ministère de l'Éducation.

Je gagnais un bon salaire et je croyais que le système était bon et juste. Je réussissais parce que je m'étais donné les bons outils pour réussir. Dans le fond, je récoltais ce que j'avais semé.

Un jour, Gérard D. Lévesque est mort. Comme c'était un ami de la famille, j'ai eu de la peine. Par-dessus tout, je me suis mis à avoir peur pour mon emploi. Depuis quelques années, il y avait de plus en plus de mises à pied chez mes collègues. Toutefois,. cela me laissait presque indifférent, croyant que je ne serais jamais la victime des compressions de personnel. Depuis que Gérard D. était mort,cependant, je me préparais au pire.

J'ai parlé de mes soucis à mon père et il m'a dit de ne pas m'en faire. Suivant ses conseils, j'ai re-doublé d'ardeur au travail. Sous la férule de Daniel Johnson, les mises à pied se multipliaient, mais je n'étais jamais visé. Alors, je me suis cru au-dessus de tout ça. Je continuais de penser que le système était bon et juste.

Un jour, mon patron m'a fait venir dans son bureau. Cela n'avait rien d'extraordinaire, car j'avais l'habitude de ces rencontres avec mon supérieur. En cinq ans, ce dernier ne m'avait jamais manifesté le moindre sentiment d'amitié. Ce jour-là, il était aussi froid qu'à l'accoutumée.

Il m'a demandé de m'asseoir et m'a annoncé sans plus de cérémonie que le ministère n'allait pas renouveler mon contrat. J'étais sidéré. Il y avait longtemps que je m'étais préparé à un tel scénario, mais je ne trouvais plus les mots. Pris de court, je me suis mis à pleurer. Choqué, mon supérieur m'a ordonné de sortir *illico* de son bureau. Son manque de compassion m'a fait réagir.

- Toute ma vie, on m'a fait croire qu'en étudiant, j'allais réussir. J'aurais dû me retrouver un jour à votre place et au lieu de ça, je suis dans la rue.

J'ai senti que je l'avais provoqué. Il s'est levé pour me conduire hors de son bureau en me souhaitant bonne chance. Ces mots d'encouragements étaient fortement teintés d'ironie. Il voulait dire par là qu'il se croyait irremplaçable. Je détestais cet homme. Il était d'une arrogance insupportable.

Je ne croyais plus aux vertus du système. J'étais en colère et je me sentais humilié. Bizarrement, j'avais honte de moi. Peut-être que je craignais la réaction de mon père.

J'ai décidé d'aller me soûler seul avec ma gueule. Toute la soirée, j'ai pleuré dans ma bière. J'ai bu jusqu'à ce qu'il ne me reste plus un sou.

Je suis sorti du bar en titubant un peu. J'étais saoul, mais pas assez pour oublier. Je marchais sur le boulevard Saint-Laurent et il faisait très froid. J'aurais aimé prendre le taxi, mais il ne me restait plus d'argent.

Sur le trottoir, un homme tendait la main.

- Avez-vous un peu de monnaie, s'il vous plaît?

En temps ordinaire, j'ignorais les mendiants. Ce jour-là, cependant, je fus pris de compassion. Je l'observais et je me rendais compte qu'il était aussi humain que moi et qu'il avait les mêmes besoins. Ses espadrilles étaient mouillées et il était transi. J'aurais aimé l'aider, mais je ne pouvais pas. Je suis passé à côté de lui le cœur serré sans rien dire.

- Bonne fin de soirée, monsieur!

Ces mots étaient fortement teintés d'ironie. Il faut être intelligent pour être ironique. Je pensais à mon patron en regardant ce mendiant. Peut-être que l'un était aussi intelligent que l'autre. Pourtant, l'un était au chaud au sommet d'une tour à bureaux, alors que l'autre gelait dans la rue. Comble de l'ironie : j'aurais pu être patron et je me retrouverai peut-être mendiant. Pour le moment, j'étais là où j'étais... Nulle part. Et je ne croyais plus aux vertus du système.

Le Noir et le Rouge

par Isabel Mailloux

Je suis demeurée là pendant ce qui m'a semblé une éternité. Mon corps ne répondait plus à l'appel et les mots s'étaient peu à peu dissipés. Un immense cri de honte déchirait ma gorge. Je voulais courir, courir; m'enfuir loin du regard de tous ces gens. Seulement, mes jambes étaient à peine assez fortes pour soutenir cette gêne qui m'accablait, me lacérait. J'aurais voulu vomir ce cri qui me déchirait les entrailles. Je n'en pouvais plus. J'étouffais. Seule au milieu de ces regards inquisiteurs, j'attendais en vain mon sursis.

Pourquoi avait-il fallu qu'ils me sortent de ma naïve quiétude? Pourquoi cette mégère m'avait-elle demandé de venir à l'avant pour inscrire la réponse sur le grand tableau noir? Pourquoi avait-il fallu que le sort tombât sur moi? Sort auquel, je le savais désormais, je ne pouvais plus échapper. La voix nasillarde de mon professeure me revenait en écho et me rappelait que le sursis n'était plus possible. Plus les minutes s'écoulaient, plus ma résistance à son appel impétueux devenait pénible. Ils attendaient tous de moi une explication, que je me refusais à leur fournir. J'avais si honte. Je gardais les yeux rivés au sol, je ne pouvais détourner mon regard. Je ne voulais pas affronter ces visages ébahis, pantois. Quand j'eus finalement le courage de relever les yeux, je m'aperçus que j'étais seule dans la classe. Seule en face de la mégère au regard interdit. La cloche avait dû sonner. Elle s'approcha lentement de moi et me scruta une dernière fois avant de quitter la classe, déconcertée. Elle n'avait pas remarqué l'énorme cerne rouge qui s'était formé sur mon pantalon blanc...

L'île étanche

Par André Berger

J'ai soif! Le soir arrive et je sais que la soif me
réveillera encore, comme toujours. Je voguerai sur
le Léthé et j'oublierai ce besoin. Mais j'aurai soif.
Déjà, je vois ces trous géants et larges; des crevasses
arides qui formeront un monde virtuellement
réaliste. Je me dirai «Je ne peux plus boire, il n'y a
plus rien à boire et j'ai soif.»

Alors, je penserai à ces mondes où l'on peut
boire autant que l'on peut. Comme si le liquide se
déversait directement vers l'intérieur pour remplir
d'un bonheur donnant accès à un monde fantastique.
Un monde si beau et si grand... comme des douceurs
perpétuelles ne demandant rien d'autre que le plaisir
du liquide, la désaltération.

J'ai peur du vide. J'ai peur de perdre ma pléni-
tude et de toucher le fond de mon plaisir: le noir,
puis l'effrondrement. Non, le noir puis l'autre
monde! J'ai quitté mon monde par haine du bonheur
plat et rectiligne. J'atteints l'autre rêve et reçois mon
plaisir. Je ne quitte plus ce monde.

***

Ici le plaisir ne fuit jamais, il est sans fin, sauf lorsque le vide attaque. Et puis il y a Khôl. C'est mon ami. Il me comprend, me donne de bons conseils. Il est toujours compréhensif, il ne se fâche jamais et surtout, il est toujours disponible lorsque j'en ai besoin. Peu importe, s'il fait jour nuit, s'il est tôt ou tard, il est toujours disponible pour m'aider et me soutenir. Souvent, j'ai peur du vide, alors il trouve une idée et à nouveau je suis heureux.

Les amis sont rares ici, comme partout ailleurs. Il y a beaucoup de gens et de plus en plus de jeunes joignent la rive. Un jour, un ami de mes anciens amis débarqua sur l'île; je l'avais rencontré de l'autre côté de la rive. Il était seul et parlait peu, mes amis disaient qu'il était différent. Il m'avait semblé normal, sympathique même, mais je ne lui avait pas parlé. Il faut dire qu'il n'était pas invitant; sale et recroquevillé comme un roi déchu, accusé des pires crimes et des pires horreurs. On m'avait dit qu'il était plutôt doux et docile, n'ayant jamais levé le ton ou la main, qu'il avait pourtant grosse et forte comme celle de son père d'ailleurs. Son père, lui, l'avait levé souvent, pour lui faire mal. Il disait que son fils ne serait jamais rien parce qu'il n'y avait rien à faire dans ce monde pour quelqu'un comme lui. Je ne sais pas si son père avait raison, mais Origène avouait volontiers qu'il n'avait rien réussi. Dès son arrivée, il a dit être venu pour trouver le bonheur et la compréhension sur la rive. Khôl nous l'a présenté. Ils étaient amis eux-aussi. Khôl est l'ami de tous ici. On dit qu'il a fondé la rive, qu'il l'a même construite seul avec ses mains alors qu'il était tout jeune. Certains disent même l'avoir entendu dire que la solitude l'avait longtemps torturé après la création du monde parallèle. Khôl est extraordinaire; il connaît tout, sait tout, fait tout, donne tout et surtout, il est toujours là , peu importe nos besoins et le nombre de besoins que l'on a. Cette rencontre avec Origène m'avait perturbé et ce n'est que son retour, peu après, qui réussit à me ramener, je veux dire à me calmer. C'est qu'il était la seule personne de l'autre côté, que j'aie rencontré de ce côté-ci, à regretter la vie précédente. Il disait que Khôl n'était pas vrai et que l'amour et le bonheur n'étaient pas réels. Comme si la rive n'était qu'une illusion existant à partir de l'autre côté. Le mal n'existe qu'à partir du bien. Et le bien n'existe pas sans le mal. «De la même manière, disait-il, la rive n'existe qu'en vertu de l'autre rive.» Origène partit. Il retourna vers le passé, celui qu'il avait quitté plus tôt. Les arrivées sont faciles et agréables; les départs difficiles, douloureux, longs et dangereux. L'île est difficile à quitter. Nous n'avons aucun moyen de partir. Il fallut qu' Origène construise un moyen de transport avec les moyens du bord et ce, sous le regard inquisiteur et injurieux des autres et surtout de Khôl. Khôl le regardait travailler, transpirer, suffoquer par manque d'air et de liquide, sans rien dire ni rien faire. Je voulus l'aider à plusieurs reprises, mais une partie de la rive devint inacessible. À mesure que son travail avançait, une partie de l'île se détachait, s'éloignait. L'île se fragmentait. Il y avait nous, il y avait lui. Khôl ne disait rien, ne faisait rien, mais il observait, et cette désertion semblait le perturber, lui faire peur. Rapidement Origène fut hors de portée de nos yeux mais pas de ceux de Khôl. Il nous raconta longtemps la lente progression d'Origène, toujours au travail, imperturbable, seul et souffrant de sa décision de retourner vers le passé. Un jour où nous avions un peu oublié Origène, Khôl nous raconta qu'il avait atteint l'autre rive, que les gens l'avaient accueilli, puis après avoir raconté son histoire sur la vie de notre île, de notre rive, la population du continent n'avait pas compris. Ils avaient cru à un danger, à une folie, puis tous s'étaient rassemblés autour d'Origène et l'avaient battu à mort. Nous eûmes peur.

Après, Khôl fut différent et moi je commençais à me poser des questions. Bizarrement, chaque jour, Khôl allait sur la berge d'où Origène avait quitté notre monde et scrutait l'horizon. La partie de l'île qui s'était détachée au moment du départ d'Origène avait maintenant été remplacée par une nouvelle bande de terre pour les nouveaux arrivants. Depuis le départ de mon ami, j'avais observé les changements de notre rive, avec les arrivées et hélas! la mort de certains d'entre nous. À chaque nouvelle arrivée, une bande de terre se libérait des eaux, agrandissant du même coup notre île. C'est alors que je remarquai que les environs avaient changé. L'île bougeait. Entre l'arrivée et la mort, nous nous déplaçions vers l'autre rive, lentement mais sûrement. Nous nous dirigions vers le monde que nous voulions quitter. J'en ai parlé à Khôl, il me dit de ne pas m'inquiéter. «Il faudra longtemps avant d'atteindre l'autre rive. À ce moment, ils seront prêts pour nous.»

La possibilité de retrouver, un jour, l'autre monde me terrorisait. Retrouver le moment livide de cette vie que j'avais fui il y a longtemps déjà, ramenait une foule d'images: nostalgie, amitié, amour, espoir. Mais non, voyons! Khôl comblait tout ça, il s'occupait de tout, et puis pourquoi m'en faire, il fallait plutôt jouir du plaisir, de la corne, de l'abondance, du fleuve qui me remplissait et des plaisirs que cela procurait.

Alors Khôl vint me voir et me raconta une histoire bizarre:

«Mon ami, me dit-il, tu ne dois pas te faire de soucis. Viens avec moi, goûter le plaisir de l'île, oublie la rive et ne pense plus à Origène. L'autre monde ne comprend pas le nôtre, il est dangereux pour nous. Tous ceux ayant essayé d'y retourner ont été battus et tués. Des armées ont ensuite essayé de nous anéantir, mais nous sommes allés vers d'autres îles, et nous avons survécu. Nous gagnons toujours. Nous ne pouvons perdre. Nous sommes les plus forts.»

Après cela, je fus un peu déconcerté. Nous avions été attaqué? Il y avait d'autres îles?

Je ne savais pas pourquoi, mais il me semblait que quelque chose était bizarre. Khôl était nerveux. Il n'était plus disponible. Pour la première fois, il n'était pas venu me voir alors que je le lui demandais. Ce refus avait créé un sentiment très désagréable en moi. Un espèce de sentiment d'insatisfaction. Un manque. Un vide. La solitude pouvait-elle arriver, encore? J'avais oublié le sec, l'absence. «Bon, j'attends un peu et je le redemande.» m'étais-je dis. Le besoin. Le désir. L'espoir. Des sentiments oubliés qui refaisaient surface. J'étais incertain, je doutais. Mon choix était-il bon? Était-ce la meilleure chose à faire? J'avais peur. J'avais peur de vivre le drame d'Origène. Le départ était exclu. Et puis, Khôl serait déçu. Il était mon meilleur ami, le seul qui me comprenait vraiment, qui m'apportait satisfaction et espoir. Non! je resterais, j'avais choisi de rester avec mes amis. Je voulais parler de mes inquiétudes avec Khôl, il m'expliquerait. Après un certain temps, Khôl revint enfin et accepta, par grande amitié, de m'accorder un peu de temps et d'explications. Le plaisir de son retour fut un assouvissement, je faillis oublier mon questionnement et mes inquiétudes. Khôl offrait tellement en un seul instant qu'il était difficile de demander davantage, même vivant, même ici où le plaisir n'avait pas de limite.

«Khôl, explique-moi, où sont les autres îles? Y a-t-il d'autres gens? demandais-je.

–Oui, il y a d'autres îles, mais elles sont peu peuplées, pour l'instant. Nous y avons été à quelques reprises lors d'attaques, répondit-il.

–Je ne comprends pas, des attaques? Nous avons été attaqués?

–Oui, quelques fois, répondit Khôl. Des gens vinrent de l'autre rive avec des armes pour nous détruire. Ils voulaient une vie sans monde parallèle, sans échappatoire, sans existence virtuelle, une vie vide de plaisirs, de joie et de sens. Ils étaient beaucoup, ils étaient forts, mais nous avons tenu. Nous nous sommes réfugiés dans d'autres îles, survivant comme nous pouvions. Une tribu d'idéalistes vivant dans une presqu'île adjacente, nous a aidé, fourni en victuailles et nous avons survécu. Peu après, l'armée s'est dissipée, certains ont joint nos rangs et nous avons pu réintégrer notre île, notre monde, notre joie.»

Khôl me quitta, pensif, mais content de son explication. Moi, je retournai chez moi, dans ma cabane et y restai longtemps à réfléchir sur ses propos. Comment se pouvait-il que nous ayons été attaqués? Je ne comprenais toujours pas qui et pourquoi? Notre communauté pacifique et tranquille ne pouvait être nocive. Nous ne faisions rien de néfaste.

Origène revint. Khôl avait menti. La colère monta. Beaucoup furent déçus. Origène raconta qu'il avait été battu, mais ensuite recueilli dans un monde changé et compréhensif. Les premiers moments furent difficiles, il dut renoncer à tous ses plaisirs. Mais on lui offrit un monde doux et agréable. Khôl ne dit rien. Il s'excusa de son erreur en argumentant la fatigue de ses sens, la distorsion de ses perceptions causée par une surdose de travail. Il nous rappella les désertions agressantes et blessantes et la douleur de la perte d'Origène. Beaucoup ne le crurent pas. Un mouvement de désertion s'éleva. Des bateaux entiers partirent d'où on entendait crier «À bas Khôl.»

J'ai décidé de rester. Je ne sais pas pourquoi. C'est comme si la peur de l'inconnu me retenait. Khôl était puissant. Il avait beaucoup d'influences. Je ne voulais pas l'abandonner, il m'apportait tant de plaisirs.

Du bord de la rive, nous aperçûmes plusieurs bateaux qui quittaient l'île vers le monde, l'autre monde, celui d'où nous venions tous. Je les observais voguer vers une tentative pour revivre un passé révolu. J'imaginais ma famille, mes amis que j'avais abandonné. Les autres devaient imaginer les mêmes rencontres houleuses et livides que moi. Soudain, nous vîmes un bateau chavirer et jeter à l'eau agressante son contenu de dépravés de la vie. Ceux qui avaient espéré puis fui, mouraient maintenant devant mes yeux, devant nos yeux. Un mouvement de panique s'éleva, mais rapidement Khôl calma les esprits en distribuant une dose massive de compréhension, d'amour et de sentiments agréables. Nous regardâmes le naufrage passivement, comme un reportage télévisé. Je commencai à en avoir assez. Toute cette distance, cet amour, cette compréhension en surdose commençaient à me peser. Un point de mon corps devenait plus sensible, je souffrais. Un poids sur mon cœur. Une douleur, puis l'expulsion de dix mille nuits d'un coup; un écœurement du comblement du plaisir, de l'épanouissement artificiel. À mesure que j'éjectais mon contenu intérieur, les gens autour de moi disparaissaient, puis le bateau, puis la mer. L'île tout entière disparue, Khôl lui-même n'existait plus.

Alors que le monde s'évanouissait, un autre naissait. Une lumière pourtant faible, agressait ma pupille devenue fragile par une inaction prolongée. Comme quoi le corps humain n'est pas parfait et démontre une faiblesse lorsqu'il est confronté à un élément faible mais nouveau. Je rouvris les yeux, la vie comatique commença à éclore et je reconnus le plafond de ma chambre, dont la peinture humide et usée tombait en lambeaux de long en large. Au moment où mes esprits revenaient, le souvenir d'un monde agréable me revint. Immédiatement, je me tournai vers ma table de nuit où reposait ce qui était maintenant l'objet de mon désir. Un objet filiforme et bombé contenant le liquide tant apprécié et qui avait fait partie de ma vie depuis si longtemps. Le liquide enchanteur qui m'avait coûté ma Dolores et allait maintenant combler un moment de détresse et de désespoir comme à chaque nuit. Ce liquide, excellent au goût, sublime la vie mais détruit l'existence. J'étanche ma soif et je sais que ma vie me tue.

Vive les États-Uniens!

par Michel Brûlé

Être impérialiste, c'est vouloir s'accaparer de tout, quitte à déposséder tout le monde de tout. Nous, les Québécois et Québécoises, n'avons pas encore de pays, mais le continent est à nous... aussi!

- *Howdi man! I'm an American!* me lance un homme dans la vingtaine avancée, d'une voix tapageuse.

- *I am an American too!* que je réplique d'un air provocateur avec un accent français très prononcé.

- *Oh yes... From which state you come from?*

- *I come from Québec!* que je déclare fièrement.

- *Well... You aint no American then.*

- *I come from this continent...*

- *Hey you smart guy! You probably think we should call ourselves United Statens.*

- *That would be fair enough.*

- *It's ridiculous and too long to say.*

- *Well... If you are looking for a shorter name : you should call yourselves Users. Isn't that what you are?*

Tiens-toi États-Unien! Ton continent, c'est le mien aussi!

Alors que le chien meurt

par François Patenaude

Après midi ensoleillé (horrible cliché, je sais, mais que voulez-vous, je ne contrôle pas la température...)

L'hiver qui crisse sous mes pieds, mes souliers, mettons, j'ai pas de bottes, pas d'argent pour...

Ô jour de répit au cœur de l'hiver glacial, jour où le froid mordant ne me mange pas tout cru, je vous bénis!

Regardez-moi, populace, je suis bien! Il fait chaud, malgré le froid. C'est-à-dire que ...

Simplement, je ne gèle pas aujourd'hui. COMPRENEZ-VOUS? (Pas de réponse). (Silence absolu parmi les femmes et les hommes qui déambulent, emmitouflés dans leur fourrure synthétique.)

«Christ!» criai-je.

«Hostie! «hurlai-je.

Importance ridicule que la mienne. Personne ne me regarde en face, personne ne me touche. Ils font du slalom pour m'éviter, c'est de l'histoire ancienne, je suis habitué... Dans le fond, je ne m'habituerai jamais. JAMAIS! Existé-je? «Dites-le-moi voisin de trottoir,» que je lui demande assez raide merci!

«Nenni», me répondent ses yeux bleus qui regardent à travers moi, comme si entre leurs iris couleur horizon et le mur de béton derrière mon dos, il n'y avait rien. Rien du moins, qui vaille la peine d'être vu. «Moi, je...»

«Expire en paix mon fils, ton heure vient d'arriver.» Utopie, ou curé fou qui m'a réellement adressé la parole? Je ne sais pas. Je ne sais plus. Mon esprit s'embrouille, mes veines réclament leur ration d'alcool.

Regardez-moi, je suis tout blême, je manque de gin. Donnez-moi donc des trente sous!... Monsieur!... Pourquoi vous courez? Tiens,des bruits!... Une explosion?

Tiens, une balle traverse mon cœur? Tiens, cet édifice d'où s'échappent des gens masqués, c'est... c'est une banque. Oui, madame qui sortez de la banque en hurlant, oui madame, on vous a volé vos sous. Oui, je sais, passant qui essayez de me retenir alors que je tombe à genoux, oui, je sais, du sang s'échappe de ma poitrine par longs jets saccadés. Je sais tout cela, mais si je crie, messieurs, dames, c'est plus parce que je sais enfin que je suis vivant. On m'a touché! Certes, ce n'est qu'une balle de fusil, mais elle m'a touchée! Grâce à ce premier contact, d'autres suivront. Regardez monsieur, vous qui n'osiez m'approcher l'instant d'avant, vous avez maintenant vos deux bras autour de mon buste pour ralentir ma chute et m'allonger doucement sur le trottoir. Et de plus, c'est confirmé, c'est bien du sang que j'ai dans les veines! Regardez, le trottoir en est maculé. Et c'est le mien! Si je saigne, c'est donc que je suis vivant! Ha, ha! Hip, hip, hip, hourra! Maintenant que me voilà rassuré, maintenant que je sais qu'il m'est possible de vivre vraiment et de ressentir des émotions autres qu'horribles, laissez-moi! Laissez-moi en paix!... Je me sens fatigué... Arrêtez de dire que je vais mourir... Pourquoi dites-vous de moi, le pauvre homme? Pourquoi vous suis-je soudainement sympathique?... Pourquoi les édifices tournent si vite? Ça me fait tout drôle dans le ventre, c'est comme si je me vidais... Vous ne trouvez pas que c'est absurde, vous, le petit monsieur aux yeux bleus? N'est-ce pas que c'est absurde que ma mort vous intéresse plus que ma vie?... Lâchez-moi, vous me faites mal, ne le voyez-vous pas? Vous m'avez fait mal au cœur en ne me regardant pas tout à l'heure, et maintenant vous me faites mal en me serrant avec vos grosses menottes malhabiles. Et vous, la foule de curieux, qu'est-ce qui vous attire? La pitié? L'amour? Le spectacle? Vous me volez mon air. Éloignez-vous, siphonneurs d'air! Vous m'étouffez! AU SECOURS, ON M'ÉTOUFFE!... C'est ça, tremblez, charognards, reculez, car il grogne et il rage encore le vieil ivrogne!... Comme j'ai froid, je sens l'époque qui prend place dans mes veines... Dites-moi, les yeux bleus, qu'est-ce qui fait courir les foules?... Le sang dites-vous... Vous avez peut-être raison... Mais! MAIS! ... Les petites étoiles, pourquoi les petites étoiles? Ça brille!... Mes yeux!... Oh!... Je... Je ne vois plus rien!... Mes yeux, c'est tout ce qui me restait... Ce bruit qui fait du bruit et qui s'approche, c'est une ambulance!... Elle est pour moi dites-vous?... Une ambulance pour moi tout seul... Mais c'est trop! C'est trop d'attention, c'est trop d'honneur, mais surtout, c'est trop peu, trop tard!... Allez, les yeux bleus, partez rejoindre votre femme et vos meubles. Je ne peux rien pour vous, tout comme vous ne pouvez rien pour moi... Taisez-vous sale nain, et écoutez-moi; vos histoires de bon Dieu, vous pouvez vous les foutre où ça me pique! Je n'ai aucune importance pour vous, je ne suis qu'un accident anodin sur votre parcours vers l'excellence, un bouton sur la face du monde. Ma mort ne peut qu'embellir votre monde... J'ai eu si froid ici... Voilà, les ambulanciers sont là, c'est le moment du départ... Malgré votre sympathie de dernière heure, je vous le réaffirme: pour vous et pour tous les autres curieux, ma mort n'est qu'une anecdote, une «fait d'hiver». Vous êtes trop occupés et je suis trop petit... Ma mort ne changera rien à la trajectoire du météorite endormi de vos vies...

De ma peau surgissent des poèmes édifiants

Par Sébastien Hamel

L'homme se réveilla un matin et il en était imprégné. Il voulut aussitôt manger sa douleur, la prendre entre ses dents pour en briser la coquille. Mais il eut peur de la musique, de ce craquement d'os, de cette mort d'os et de chair. Il la prit alors dans ses bras, la porta quelque temps sur son dos et la déposa presque cérémonieusement sur le coin d'un comptoir, au profit de lumière et d'inspiration. Ce n'est pas sans raison qu'il pria de longues minutes, accoudé devant elle.

Il vivait en cage depuis quelques semaines. Il ne s'y habituait toujours pas, respirant sans cesse ses propres tourments, à l'air libre dans sa prison. Chaque nuit, il mourait, transpercé de lune rouge. Il ne s'endormait jamais en riant, laissant fondre son visage en larmes sucrées. Au matin, son corps humide sentait le désespoir.

Sa femme, de rage, l'avait enfermé dans la cuisine, grâce à un solide grillage. L'opération produisit un tel vacarme, qu'il dut s'armer d'un chaudron: «Ma guerre commence ici, de stupeur et d'étonnement.»

«Je désire être célèbre, reconnue de par le monde, courir de par les champs, des caméras dissimulées au milieu des herbes, la reconnaissance publique à la racine de toutes les végétations. Mon nom apparaîtra, tel un stigmate, sur toutes les peaux. De mes ongles, on fera une potion magique de vie, de mort, de survivance sans effort.

- De furie, ma chérie, je te demande ce que je peux y faire.

- Je t'offre une plume (et mon sang si tu en veux) et tu m'écriras le plus inconcevable des textes. Par ce texte, je serai chanté dans tous les nez.»

Ses bras tombèrent surpris - et il dut les chercher toute la nuit, dans l'obscurité.

*****

Au fond, je nais à tous les matins depuis trois semaines. Chaque nuit, je rêve qu'elle tue mon impouvoir. De ma plume, elle transperce mon nez, grugeant mon intelligence, dans d'incroyables mouvements sphériques. Il ne m'en reste que de minimes lambeaux, que je cueille un peu partout dans mes veines, circulant là librement, à tout hasard. Elle n'en fait cependant rien: elle avale sa colère, je voudrais seulement qu'elle m'avale avec elle, par mégarde. Je lui dévorerais alors les entrailles, oubliant quelques organes inutiles, pendant là sans raison.

Elle ne m'avalera jamais: elle a la gorge sèche comme des écailles de poisson.

Elle rit, fume sa colère sans filtre.

*****

Il y a de drôles de hasards: je me suis réveillé avec des lettres écrites sur mon corps. J'ai d'abord cru à une tache d'encre sur l'avant-bras. J'ai glissé sur mon ventre, sur mes pieds: toujours des lettres, imprimées magiquement. Ma langue est bleue, je ris bleu.

Les lettres ne se suivent pas. *Il n'y a pas de message divin, pas d'urgence à en finir.* Elles jeûnent juste sous mes dents, non loin de ma captivité.

Je vous mange les mots à la racine des pieds

Ils surgiront de ma peau en poèmes édifiants.

Je n'ai plus rien à dire, je suis un bègue à trente sous.

*****

Je l'ai su ce matin, j'ai tiré l'évidence par la queue: un roman s'écrit sur mes membres. Rien de tout cela n'est drôle, je pleure de l'encre par fontaine. Je suis un écrivain à jet d'encre.

«Charlatans de charlatans! Brouille de brouille! Feu! Feu! Au manque de feu! Au manque de flammes! Mes yeux surgissent de partout, je n'arrive plus à les suivre! Laide de laide, de l'aide!»

Elle est sourde, cache ses oreilles loin de son corps, pour ne pas m'entendre.

Il y a certainement une issue, une faille, une faiblesse que je combattrai loyalement, à l'abandon. En éveil, mon miroir guette ses regards. Ils sont froids, givrent mon reflet.

*****

Il n'y a pas de limite à son inconscience. Elle brise mes pas, les casse sauvagement, sans tenir compte du danger: ma paralysie soudaine. Absence de mouvements, je n'ai plus de spectacle à donner, je ne suis pas un cirque.

Elle me force fort, très fort, c'est atroce. Elle me nourrit par intraveineuse, tente de déchiffrer mon corps, de mettre un nom sur ces falaises et ces crevasses qui m'habillent.

Vacarme de vacarme, je n'ai même plus droit au sommeil! Elle me consomme voluptueusement, absorbe mes gestes, digère vite, revient à la charge, aspire l'encre de mes veines.

Un météore passe entre nous deux, elle ne s'en excuse même pas.

Je n'ai pas de fin. Je m'étends dans tous les siècles, il faudrait me clouer sur place, pour m'empêcher d'évoluer davantage. Il s'agit de me marteler doucement les genoux, de fixer mes coudes à même un rayon de lune. Mon roman se figerait de délivrance.

Point final sur le nez.

*****

Mes yeux n'en peuvent plus, cristallisés dans leur orbite.

«Lutte! Lutte toujours! Profite de ton haleine qui s'épaissit - et récolte! Volcan! Lave créatrice entre ses doigts! Il n'y a pas assez de flammes dans ses yeux!»

Au profit d'une délivrance,
      ce coup de hache dans mon œil droit.

Il n'y a plus de malaise, j'y vois maintenant clair: mon poème se lit aisément d'un os à l'autre. Il suffit de prendre mon œil dans ma main, de l'enduire d'encre; il écrit ce qu'il voit, ne demandant pas ses restes.

Il ne me reste qu'à tordre mes artères, bousculer la facilité.

L'œil blessé d'encre
installe sa fulgurance
sous les auspices confortables
des moissons d'avenir,
richesses stupéfaites.

L'homme à la cigarette

par Michel Brûlé

Les futurologues nous avaient promis la société des loisirs. Ils ont eu partiellement raison... À l'aube de l'an 2000, il est vrai que les gens ne travaillent pas. Huit personnes sur dix sont au chômage. Pourtant, le dernier Premier ministre avait basé toute sa campagne électorale sur la création de nouveaux emplois. Ne sachant plus à quel saint se vouer, la population y avait cru ou avait fait semblant d'y croire.

Quand cet homme a remporté les élections, il a immédiatement procédé à une vague de congédiement des fonctionnaires de l'État. Le nouveau Premier ministre, issu d'une famille bourgeoise, avait des yeux bleus très froids. Il prétendait que le Québec se devait d'être compétitif. Pour faire face à la guerre économique mondiale, qu'on appelle hypocritement la mondialisation des marchés économiques, les entreprises du Québec ont fermé leurs usines pour en ouvrir d'autres en Asie, où les ouvriers travaillent pour deux fois rien.

La population québécoise en chômage s'est mise à exprimer sa colère. Il n'y a pas eu de manifestations de masse comme dans les années soixante et soixante-dix. Le sida et les interminables mois de récession économique avaient réussi à conditionner les gens à être individualistes.

Le peuple s'est révolté à sa manière par le biais de la violence, des crimes et de la contrebande. La situation était devenue désespérée... Jamais la société n'avait été aussi pourrie. Les idéalistes rêvaient de l'arrivée d'un sauveur...

Il est venu. C'était un petit homme presque chauve et qui fumait beaucoup. Par son allure, il rappelait un ancien chef d'État. Cet individu avait beaucoup de flair politique. Voyant quelle influence la cigarette avait sur la population et sur lui-même, il s'était mis dans la tête de se faire élire en promettant des baisses de taxes sur le prix des cigarettes.

Le nouveau Premier ministre a tenu ses promesses. Grâce à leur héros, les cigarettes étaient devenues accessibles à tous. Cependant, la consommation de tabac n'avait pas assez augmenté aux yeux du *leader*. Quant à lui, il ne voyait qu'un moyen de faire fumer les gens davantage, et c'était de les faire travailler pour qu'ils accroissent leur pouvoir d'achat.

Le Premier ministre décida de mettre sur pied une économie dont l'unique pivot serait l'exploitation du tabac. Il institua un programme visant à transformer toutes les usines désaffectées en manufactures à cigarettes.

La population était enthousiaste, car elle était revenue sur le chemin de l'emploi. On acclamait le Premier ministre en l'appelant : «Le sauveur!» Ce dernier prétendait qu'il n'y était pour rien. «C'est ma cigarette qui est responsable de tout», disait-il. D'ailleurs, il était ahurissant de se rendre compte que le Premier ministre avait toujours une cigarette aux lèvres et qu'il n'ouvrait jamais la bouche quand il s'adressait au peuple. Dès lors, on pouvait tirer ses propres conclusions. Ou que le Premier ministre était ventriloque, ou bien sa cigarette parlait à sa place. Toutefois, tant que la population avait du travail, elle ne se préoccupait pas tellement de ces histoires.

Bien que le Québec eût réglé son problème de chômage, il ne résistait pas aux attaques répétées de la guerre économique. Grâce à leurs esclaves asiatiques, les États-Uniens produisaient des cigarettes à bien meilleur marché. La nouvelle économie québécoise n'était pas assez compétitive pour exporter ses produits dérivés du tabac.

Pour éviter la contrebande et l'effondrement de son économie, le Premier ministre prit la décision de fermer les frontières du Québec. Il poursuivit la réforme économique en définissant trois secteurs d'activités: agraire, industriel et hospitalier. La population québécoise était au moins assurée de fumer, de manger et d'être soignée. Pour résister à l'embargo états-unien sur les produits énergétiques, on se servait du goudron présent dans le tabac pour faire fonctionner les machines.

Le peuple louait son Premier ministre pour ce virage politique et économique. Tout le monde travaillait dans cette société autarcique: soit dans les champs pour l'agriculture et particulièrement la culture du tabac; soit dans les manufactures à cigarettes; soit dans les hôpitaux.

Le peuple du Québec se disait le plus heureux du monde. Tout le monde, sans exception, fumait. On encourageait les gens à boire beaucoup d'alcool, car cela augmentait la consommation de cigarettes. Tout ce qui pouvait réduire la consommation était supprimé. Ainsi, le Premier ministre avait interdit le sport sous prétexte que les athlètes fument trop peu ou pas du tout. Sacrilège! En effet, selon le *leader* du Québec, il était impérieux que tous fument afin d'assurer le plein emploi. D'ailleurs, les plus gros fumeurs, enfin ceux qui survivaient, recevaient les plus hautes distinctions de l'État pour leur engagement patriotique.

Le tabac était devenu le nouveau dieu du Québec. On retrouvait son symbole partout. Des feuilles de tabac avaient remplacé les fleurs de lys sur le drapeau québécois et deux cigarettes avaient pris la place de la croix blanche. La cigarette influençait aussi beaucoup la mode. Il était bien vu d'avoir les doigts jaunes et les ongles bruns. À vrai dire, tous les aspects négatifs de la cigarette étaient glorifiés. Mêmes les parfums et les dentifrices imitaient l'odeur de la cigarette.

Les avertissements au sujet des dangers reliés à l'usage du tabac avaient disparu des paquets de cigarettes. On incitait même les femmes enceintes à fumer pour que leurs rejetons deviennent de plus gros fumeurs et qu'ils stimulent ainsi l'économie du Québec.

Quand on parlait de santé, il fallait parler de la santé de l'économie. Dans ses plus beaux discours, le Premier ministre affirmait que le tabac était bon pour la santé économique du Québec et il se faisait applaudir à tout rompre. Il prétendait que même les maladies causées par la cigarette étaient utiles, car elles donnaient de l'emploi dans le milieu hospitalier. Certes, l'espérance de vie ne cessait de chuter, mais le Premier ministre nourrissait dans ses allocutions ce faux espoir selon lequel la science allait trouver un remède miracle qui viendrait à bout des sept millions de types de cancer reliés à l'usage du tabac.

À l'extérieur du Québec, la guerre totale fit place à la guerre économique. Voyant le Québec comme un modèle, les rares survivants de l'hécatombe demandèrent l'exil dans la république du tabac. Le Premier ministre, soucieux d'agrandir son royaume, se fit un plaisir de les accueillir. Malheureusement, tous les mutants rescapés périrent asphyxiés dès leur arrivée au pays. Même les Québécois, pourtant immunisés, ont commencé à éprouver de sérieux problèmes de santé. À cause de la pollution causée par la cigarette, même les champs de tabac ne purent résister... Alors, les Québécois s'enfermèrent dans leurs manufactures à cigarettes et ils fumèrent jusqu'à ce que mort s'en suive.

Partie

par Léon Guy Dupuis

**Karène! Karène! Karène! Mon nom est Karène...
non, je ne sais plus.**

Pourtant, je sais maintenant pourquoi le ciel
existe. Il est peau bleuie, une ecchymose
dissimulant de la haine, du mépris et de la violence.
Tout s'y évapore et en retombe. *Je me souviens...
d'une journée pleine de chansons.* Nous étions
adossés aux peupliers, à l'abri des rafales. Il était
gris; déjà il nous trompait, revêtant d'un voile son
visage rougi. Les jours de pluie et les tempêtes
hurlantes ne sont rien. Bientôt, ces climats éclatants
n'existeront plus; les giclées sanglantes tomberont
dans les rues et nous serons tous assassins. Alors,
les plaies ramperont hors des ruelles pour mieux
étendre les lambeaux,de coeurs sur le pavé, sur le
sol, sur la terre. Cela sera la fête de la damnation, à
l'aube de la vérité.

*

Oui, crois moi! Je le connais bien. Mon œil l'a vu, l'a touché, s'y est accolé. Il m'a aveuglée d'un coup, cela a fait mal. Ô ma pauvre terre! Je ne te vois plus, je ne te sens plus, existes-tu encore? Frappée! Il m'a frappée, frappée; il a saisi ma vie, mutilé mon corps, m'a laissé la mort. Mais quelle mort? La mienne? La tienne? La nôtre?

*

Des anges sont descendus pour m'écraser contre lui. Ils chantaient comme des merles, ou riaient, petites bouches pudiques déployées. Ils m'ont portée très haut et m'ont laissé choir. La terre m'attendait, ouvrait ses bras pour mieux m'étreindre, elle voulait m'embrasser; j'en perdis conscience.

*

À mon réveil, j'étais étendue sur le sol. Des serpents m'entouraient, dansaient le rituel sacrificiel de la déchirure. Ils me mordaient, m'injectaient un venin, un poison lent. Le ciel tournait autour d'eux, qui se dressaient tels des empaleurs, puis s'était mis à enfler jusqu'à l'éclatement. Une Pluie tomba, me souilla, nous lava tous de l'innocence, de la pureté.

*

Un déluge de sang épousera la terre, et m'en séparera à jamais. Ce mariage effacera mon nom, je ne serai plus qu'un anneau témoin d'un baiser assassin.

*

Contre mon gré, un ciel et une terre rouges se partagent ma vie. Il n'y a plus de place pour toi, *tu dois apprendre à vivre seul.* J'espère que cette lettre t'éclairera mon amour, car c'est la seule explication qui restera de mon départ. Je m'exile, un bateau m'attend.

«Et le naufrage horrible inclina sa carène
Aux profondeurs du Gouffre, immuable cercueil.»

Le vaisseau d'or
ÉMILE NELLIGAN

Fin de semaine chez les puritains

par Michel Brûlé

Dans le bain-marie, la pression monte. Le couvercle de la marmite contient difficilement les assauts incessants contre ses parois. Les gens transpirent, étouffent, asphyxient...

Ils cherchent désespérément à s'enfuir. Ils veulent se libérer de leur propre corps. Par-dessus tout, ils rêvent de s'évader du cachot qu'ils ont eux-mêmes bâti. Alors, ils n'ont d'autre but que de se défouler, de s'éclater, de tout défoncer.

Tous les orifices, qui étaient volontairement bouchés, sont maintenant ouverts. L'alcool entre à flot dans leur gosier. Ils boivent, ils pissent, ils vomissent. Leur beuverie n'a pas de limite. L'affaissement des murs de leur prison morale non plus.

Leur univers bascule. Tout ce qui était mauvais est bon et vice versa. La *planification familiale* prend le bord. Les hommes violent les femmes soûles mortes. Celles-ci, déjà rampantes sur le sol, se laissent retourner facilement, presque inconsciemment. Puis, comme s'ils n'avaient pas assez consommé, les hommes se gavent de nourriture graisseuse. Enfin, ils terminent leur soirée par un hoquet, un rot, un pet.

Le lendemain, la gueule de bois assaillent les femmes et les hommes, sans distinction. C'est comme si une fanfare sillonnait leur tête. Les coups de cymbales résonnent à leur faire éclater le crâne. Ils se lèvent alors étourdis pour avaler quelques analgésiques qui agissent comme un étau contre leurs tempes. Finalement dégrisés, ils ne se rappellent plus de rien et retrouvent leurs principes puritains. Les gens, qui ne vont pas à la messe, sont des voyous. Ceux qui boivent, des ratés. Le sexe est tabou et les condoms recommencent à s'appeler *planification familiale.*

Démangeaison cosmique

Patrice Lessard

«Je suis membre élu de la famille des canards sauvages. Je ferai la chronique de ma misère durement gagnée et je la jouerai faux - dans le registre suraigu.»
- HENRY MILLER

Le coup des œufs n'a jamais passé.

- Donne-moi deux œufs à la *coq,* mais fais-les pas cuire.

- Des œufs à la *coq* crus? Ben voyooons! Pou de qu'est-ce, mon amou?

- J'niaise pas. C'est pas drôle donc c'est très sérieux s'il te plaît.

Évidemment, Mona m'a trouvé un peu épais: on s'habitue toujours difficilement aux changements d'habitude des autres, surtout quand on passe son temps à les recréer mentalement, en guise d'obsession quotidienne. Je lui parle toujours sur un ton très neutre (d'ailleurs, le «s'il te plaît» n'était pas une formule de politesse mais bien une ponctuation rythmique, marque ironique de ma bêtise et de mon exaspération); elle, elle me répond toujours sur un ton enjoué à l'excès. Elle sonne faux. Même quand elle ment. Être constamment déroutée par mes propos et propositions malsaines (comme elle dit) ne lui a jamais porté sur les nerfs, ou plutôt, elle se le cache derrière une barricade de rigolade, pour être certaine que je ne la trouve pas dans le fossé, qu'elle ne me fait pas chier non tu m'énerves pas c'est des idées que tu te fais pis c'est quand tu te fais des idées que tu me donnes le goût d'prendre le champ stie.

Fin des hostilités, pas de représailles. Continue de prendre mon cul pour un Pop Sicle pis ça va être correct. Mais je ne lui ai jamais fait part de ces considérations; je me suis toujours retenu, en vers et contre toutes les forces de la nature, péristaltisme compris. Je suis toujours gentil dans mes mots, même quand je feel méchant dans mes principes innés. Je m'adapte hypocritement à toutes les situations qui me les aiguisent, ce qui fait que les deux niveaux de langue se mélangent et ça fait des phrases toutes fuckées qui expriment gentiment ce que je pense méchamment mais sciemment. En fait, je suis une maudite mitaine. Comme Bobinette sauf pas d'yeux pas de bouche pas de nez pis jusse un bras. Mais cela ne m'affecte que très peu. Par principes et par plaisir, je suis un grand manipulé: j'ai décidé il y a très longtemps que je n'avais pas le droit de penser. Je n'ai pas encore suffisamment de maturité philosophique. En attendant, je ne fais que copier des attitudes. Je suis les hors d'ordre, j'évite les hordes d'ordres *ordedordddre*, j'évite tout court, j'ai le vent dans le mât et vive le déconnage et le dépucelage. Prendre ses responsabilités dans la vie, c'est comme mettre du sirop d'érable dans son pâté chinois. Encore une fois cette fois-là, j'ai respecté mes principes de gentillesse pour ne pas complètement démolir ses jolis petits yeux déjà tout blessés. Par ma réponse sans entrain à sa question nounoune qui, au fond, était parfaitement justifiée, je l'avais une fois de plus atteinte dans son ignorance, dans notre incompatibilité chronique, et elle s'en rendait compte. Amour oblige. Ou vice versa.

Pourquoi des œufs à la coque crus? Parce que c'est plus lourd que des œufs à la coque pas crus. Les paroles ont plus de poids à froid qu'à chaud. Si je t'avais fait bouillir la cervelle avant de fouiller dedans, j'aurais pas pu me mouiller. Ç'aurait été sec. J'ai besoin de m'asperger, de tout étaler, si je veux avoir une vision d'ensemble de nous deux. Il faut que la sécheresse éclate comme une noix de coco. Personne ne s'amuse quand c'est sec.

Je voulais savoir si sa tête avait plus d'intérêt pour moi que le résultat d'un acte aussi pragmatique et habituel que la pondaison chez le volatile. Il fallait simplement que je compare.

Elle a mis les deux œufs sur la table sans dire un mot, avec du pain et de la confiture pour me faire plaisir.

Mais maintenant, elle ne parlait plus. D'un extrême à l'autre. Ordinairement, elle aurait jacassé comme si ça avait été une bonne habitude. La mimésis venait de foutre le camp. Plus de théâtre.

Elle devait s'être aperçue de quelque chose qu'elle venait de comprendre. Je sais pas ce que c'était, mais j'imagine que ça doit être dur à prendre; surtout dans un orgueil mal placé, parce que dans ce temps-là tout sèche trop vite trop tout d'un coup pour nous permettre d'apprécier, et la pucelle prend le bord avec toute sa joyeuseté et ses envies de pureté tellement pudiques qu'elles tiennent de la perversion dans mon registre à moi.

Si ça les appauvrit et les déshumanise, la gentillesse facilite tout de même les contacts humains; même sur un ton neutre:

- C'est pas ça que j'veux dire, mais il faut que j'protège mes arrières pis ça l'air que plus ça va plus ça va plus plus ça m'enrage que tu m'appelles «mon amou».

Ça m'écœure au possible quand elle désintègre les *r* aussi insensiblement.

- T'as raison juste à moitié mais tu dois avoir assez raison quand même. Pourquoi tu te ronges la cervelle tout le temps comme ça?

- Parce que j'ai besoin d'affection pour m'entretenir pis si j'fais la gaffe de t'aimer c'est toi qui m'aimeras pus. J'sus trop idéaliste. Comme j'nous vois, ça doit pas exister. J'dois être meilleur pour la pendaison que pour la pondaison. J'ai trop tendance à verser dans l'vice à la première inattention pis là, toute sèche. J'sus un con pis j'me cherche. Jusque là, c'est pas trop pire, mais là, j'vous trouve pus ni l'un ni l'autre toi pis l'tien pis ça c'est tout un problème.

- J'comprends jamais rien de c'que tu m'dis.

- C'est ça j'me disais.

Il n'y a rien à comprendre pour les autres. Je me dis qu'il faut souffrir pour être inconséquent, qu'il faut apprendre à s'amuser tout seul.

Sa place

M. Gagnon se croit important, parce qu'il réussit en affaires. Il a la tête enflée comme une montgolfière. Heureusement, il porte un chapeau et cela le retient au sol.

Le quinquagénaire a de l'argent et vit, avec sa femme et sa fille, dans une grande maison à Notre-Dame-de-Grâce. Comme il paie pour tout, il se croit maître de céans.

M. Gagnon se lève toujours à 5 h du matin. En ouvrant le frigo, il remarque avec colère qu'il est presque vide. «Les ingrates! Elles n'ont rien à faire de leurs journées et elles ne font même pas ce qu'elles ont à faire», se dit-il. Il aurait envie de les réveiller pour les engueuler, mais il se retient. Après tout, le réfrigérateur n'est pas complètement vide. Il contient trois œufs, trois tranches de pain et du bacon.

L'homme d'affaires a une faim de loup. Il entend se payer un festin. Il mange tout ce qu'il y a à manger.

À 6 h, M. Gagnon s'en va travailler. Il est propriétaire d'une compagnie. Auparavant, il devait traverser Montréal d'ouest en est à chaque matin. Son bureau et son usine se situaient dans le parc industriel de Saint-Léonard. L'entreprise fonctionnait bien ainsi, mais voulant augmenter ses profits, un beau jour, il décida de fermer l'usine pour en ouvrir une autre en Malaisie, où la main-d'œuvre ne coûte presque rien. Cent cinquante-trois travailleurs québécois se sont retrouvés sans emploi sans que M. Gagnon ait le moindre remords. L'homme d'affaires a vendu sa propriété de Saint-Léonard pour s'installer dans un édifice à bureaux ultra moderne situé dans le centre-ville de Montréal.

Le quinquagénaire s'assoit à sa table de travail. Il replonge dans le dossier qu'il a terminé tard hier soi. Il repasse dans sa tête avec satisfaction le moment où il a décroché le contrat. Il a la conviction que personne ne peut soumissionner à un prix plus bas que le sien. «Je vais tous les faire crever! Je vais avoir le monopole!» s'écrie-t-il, fou de joie.

Ameutée par ses hurlements, sa nouvelle secrétaire vient lui porter une tasse de café. Elle est belle et il la désire. Il entend bien la séduire.

- Chantal... Tu sais que je suis un homme très occupé...

- Oui, monsieur Gagnon.

- Et que je n'ai pas le temps de m'amuser.

- Je m'en doute, monsieur Gagnon.

- Je sais que tu es mariée et que tu as un enfant, mais j'aimerais ça te ... pénétrer

- Quoi!

La jeune femme est outrée par cette avance irrespectueuse. M. Gagnon ne s'attarde pas à cette première réaction. Il est persuadé que tout peut s'arranger.

- Ton prix est le mien!

L'homme d'affaires sort alors son portefeuille et se met à compter des billets de cent dollars devant elle.

- Est-ce que 1 000 $, c'est assez?

La jeune fille baisse les yeux et commence à déboutonner sa blouse. Elle aurait eu avantage à faire monter les enchères, car ce salaire d'appoint représente en réalité une prime de licenciement. En effet, dès qu'il aura le temps, le quinquagénaire la congédiera pour la remplacer par une autre avec laquelle il recommencera le même jeu.

Leurs ébats durent à peine quelques minutes. Humiliée, la femme se rhabille en silence. Avant de quitter le bureau, la secrétaire jette un coup d'œil en direction de son patron, mais ce dernier est déjà rassis à son bureau, absorbé par ses dossiers.

Cet exercice matinal lui a creusé l'appétit. M. Gagnon a un dîner d'affaires avec d'autres entrepreneurs. Sa secrétaire a réservé une table pour lui au *Beaver Club*. Ses deux invités arrivent avec quelques minutes de retard.

Les trois hommes commandent un apéritif, histoire de se délier la langue. Puis ils commencent à parler de leur sujet préféré: comment faire plus d'argent. La conclusion est toujours la même: faire mourir la compétition.

Inspiré, le quinquagénaire retourne au bureau. En l'apercevant, la secrétaire rougit. Elle reprend ses esprits et lui annonce, en lui remettant le texte qu'il lui avait demandé, que deux de ses compétiteurs ont fait faillite. Cette nouvelle le transporte de joie. D'autant que cette bonne nouvelle ne vient pas seule. En effet, il a trouvé un prétexte pour renvoyer sa secrétaire; elle a oublié une virgule!

M. Gagnon est fier de sa journée. Il se sent fort et puissant. Il a l'impression d'être le maître du monde. À six heures, il décide de rentrer à la maison.

Le quinquagénaire monte dans sa Cadillac. Il conduit comme s'il possédait la route. Il ne cède jamais le passage à personne. Il ose même couper un autobus. Pour lui, le transport en commun est fait pour les miséreux, et ces gens des bas-fonds ne méritent pas le moindre respect.

En entrant dans sa demeure, il n'entend pas un seul bruit. Les lieux sont à moitié vides. Sa femme et sa fille sont parties avec leurs affaires. M. Gagnon a la maison pour lui tout seul.

Les étrons verts métalliques

Par Alain Montambault

Je suis étudiant en science de la négation humaine.
Je vais remettre un travail à mon professeur de
sociologie des groupes. Il donne également le cours
de sociologie de la bêtise. je frappe è la porte. Il
m'accueille nerveusement. Il referme la porte qui
claque sourdement dans le bureau. La porte est de
couleur orange comme l'aube du Viêt-nam. Toutes
les portes du corridor sont orangées. Le prof est
maigre et pâle. Ses cheveux commence à grisonner.
Il me sert la main. Les siennes sont moites. Il ne
porte pas de lunettes. Son visage est sans expres-
sion. C'est un ancien champion de ski. Une affiche
des Olympiques est déroulée sur le mur. On y voit
des montagnes blanches et rocailleuses avec des
cons fluorescents qui glissent dans la neige folle. On
entend les souliers à claquettes des hommes gris. Ils
tapent comme des rectangles d'acier dans le corridor
échoïde. Les chiottes sont occupées. Zut!

Je dépose une mallette noire sur la table sans
caractère. Il lance un coup d'œil sec à la mallette.
Un écran de sueur fétide brille sur son front dégarni

et sclérosé. Il se déleste de sa cravate de cuivre. Une lampe vieillotte brûle du kérosène idiot dans un coin. Il y a un fauteuil vivant, une bibliothèque pleine de livres de Proust et un verre à café en *styrofoam*. Il s'assoit, l'air inquiet. Je fais pareil, comformisme oblige. *Appendice mou de crabe technologique de l'imminent concept:* LE SILENCE EST D'OR. Gnagna!

C'est le genre ancien camé nostalgique qui ferait n'importe quoi pour enfanter n'importe qui. Un représentant fiable d'une génération d'escrocs collaborateurs. Un membre de l'académie de la mort. Des inoculeurs de conscience sociale qui vivent en secret dans des catacombes incorporées et civiles. Moi, je brasse des affaires avec des cliniques d'avortement. Je leur prends bon marché des étrons verts métalliques que je revends à prix exorbitants. Mes clients sont pour la plupart des *babyboomers* stériles. Ils sont incapables d'engrosser leurs connasses. Ils ne peuvent enfanter eux-mêmes des étrons métalliques verts. Alors ils en achètent. Chacun y trouve son compte. Le trafic est florissant. Je me plains moins qu'un joueur de hockey. Je ne compte aucun but par année. Je caracole des fois aux fêtes mortuaires pétries. OGUH!

Je gagne mon pain de seigle sans trop me remuer. Quelquefois, j'achète un muffin aux fraises ou au pire, une poutine italienne, à la cafétéria du cégep qui, soit dit en passant, est administrée par une grosse compagnie américaine. La population cégépienne semble s'en réjouir, réflexe de colonisé. Il me charge 1,15 $ pour un gros café. Je ne discute pas. Après l'avoir bu, je vais chier de la merde liquide dans les toilettes farcies de graffitis insipides. Les seuls écrits valables sont ceux de Farfelu Man. C'est un de mes anciens *chums*. Il a écrit: «Dieu est daltonien.» Les pans de murs des toilettes sont criblés d'inepties sur Éric Lindros. Ce sont des préoccupations d'étrons métalliques verts. Des visions de punks-macchabée-techno-rave-trasheux du cégep de Sainte-Foy. Immondes projections de série Z. Étrons dans des costumes de zèbres aquatiques.

J'ouvre la mallette. Les yeux du prof s'illuminent. Je referme la mallette. Il a vu respirer les étrons métalliques verts. Les étrons nouveaux-nés ne survivent pas longtemps dans une mallette. Le prof s'empresse de régler la transaction. Il a acheté de minuscules vêtements roses pour les habiller. À Noël, il les couvrira de cadeaux. Il leur donnera un jeu de Monopoly, des poupées écologiques, un code de la route, des vêtements de sport, rien de violent. Que des présents *politically correct*. Il me tend 5 000 $. La transaction est complétée. On entend des pleurnichements d'étrons verts métalliques dans la valise. Il se hâte de l'ouvrir, s'empare des étrons et les berce dans ses bras. Il est cependant anxieux. Il regarde par la fenêtre pour vérifier s'il n'y a pas de laveurs de vitres espions. Les laveurs de vitres espions prennent l'apparence d'araignées géantes de la taille d'un chien de garde. Ce sont des agents du ministère du Contrôle des naissances. Ils surveillent le trafic d'étrons verts métalliques. Ils répertorient les parents et les clients. Ils démantèlent les réseaux de contrebande. Étrons chenapans, cousus dans des gencives à double fond.

Je fais ce boulot depuis 1 347 jours exactement. Un seul incident fâcheux s'est produit. C'était dans les toilettes d'un restaurant chic. J'y avais suivi un client au teint basané, front fuyant, cheveux or bouclés et petites fesses de garçon délicat. Il a ouvert son paletot des Reds de Cincinnati puis aussitôt, il a dégainé une mitraillette jaune aluminium. Il s'est métamorphosé en laveur de vitre espion. Une espèce d'araignée gluante qui sécrète des effluves nitreuses. J'ai derechef paniqué et tiré deux balles dans le cou de l'araignée. Les murs des chiottes ont été éclaboussés de vertèbres. Du sang vert dégoulinait sur le miroir. J'ai pris la porte de service puis j'ai couru dans les flaques d'eau matinale de la ruelle. J'ai omis de nettoyer convenablement les chiottes avant de m'enfuir. Mais je me suis emparé de son insigne de laveur de vitre espion. J'avais les nerfs égrugés, les yeux injectés de gaz lacrimogène. Vous comprenez ça, vous, les petits stressés du travail bien fignolé dans les normes. Pif, paf, pouf... ça vous en *jam* le péteux d'garage à bite, final bâton!

Je referme la mallette pendant que le prof fredonne des berceuses à ses étrons. Il est assis dans le fauteuil de chair. Il a l'air d'un bon père de famille, le visage raviné et pâle. Il feint déjà le petit air inquiet caractéristique de tous les parents. Une seule chose me tracasse. Je scrute le *babyboomer* en hochant la tête positivement. Guiliguili!

- Qui vous a donné mon nom?

Ma chevelure broussailleuse est enflammée. Un extincteur gicle.

- Un fumeur de pot du café Waso.

(Mes yeux sont révulsés. Je m'amuse comme ça.) Un de ces petits étudiants flâneurs qui glandent pour se faire accroire qu'il est *underground*. Pourquoi roulez-vous des œillades blanches? Pour me faire peur davantage? Allez... déguerpissez! Je ne veux pas de trouble avec les laveurs de vitres espions.

Le type a la trouille. Il tremble en flattant le menton amorphe de ses étrons verts.

- Je roule mes yeux parce que ça procure une certaine jouissance. Au lieu de me masturber, je révulse mes yeux. C'est plus propre. Pas besoin de laver mes caleçons. J'ai appris le truc au cirque. Mon oncle m'avait inscrit à l'école militaire. Je me suis évadé. J'ai gagné la troupe du cirque pour joindre quelque chose. Je ne pouvais pas que déserter. Déserter pour être quoi... absurde? Non, non, non... l'absurde, ce n'est pas pour moi. Non merci, je veux appartenir. J'appartiens aux contrebandiers d'étrons verts métalliques. Comme les criminels ont besoin de se retrouver en taule ou en groupe pour appartenir à quelque chose. Être femme, informaticien, scout, riche, nègre, juge, écrivain. Ne surtout pas être soi-même. Ne pas être absurde, car la bizoune nous gonfle à outrance et éclate en déversant, comme le ferait un tuyau, les viscères grises de notre cerveau.

Je sourcille narqoisement. Une lueur violette crépite dans mon œil droit. Le prof éprouve une certaine agressivité à cause de mon propos. Son visage d'ex-camé se contracte.

- Dans mon temps, on était nationaliste, féministe, écologiste, pacifiste... On baisait tous ensemble en écoutant un bon disque de Bob Dylan. On se battait pour quelque chose.

- Pouvez-vous m'expliquer la différence entre le fait d'être féministe, travailler pour la paix, écouter du Jefferson Airplane, se bourrer de LSD et porter une calotte des Sharks de San José? Pour moi, c'est la même chose. La doctrine conduit toujours au fascisme. Vous auriez dû gober des chaudières de LSD. Les légumes à l'asile sont beaucoup moins matérialistes et superficiels que vous autres. Vos pères et vos fils sont des merdes vertes. C'est pas difficile d'identifier le chaînon manquant.

- Mon père est plus fort que le tien, dit-il avec une haleine d'oignons putréfiés.

- Tu sais, moi dans ma vie, j'ai pris soixante-cinq acides.

- Ah oui... moi, j'en ai consommé cent huit!

Il bombe fièrement le torse. Ses étrons geignent.

- J'ai éjaculé dans vingt-quatre vagins différents.

Je contemple mes ongles bien vernis.

- Ah oui... moi, j'ai pistonné quarante-trois Américaines, quatre Russes, dix-huit Suédoises, vingt-sept Japonaises, soixante-cinq Mexicaines, deux Italiennes et des tonnes de Québécoises. J'ai attrapé douze chlamydias, trois blénorragies, huit syphilis, dix gonorrhés et une bonne centaine de grippes virales. J'ai essayé de pogner le sida en Jamaïque, mais ça n'a pas fonctionné.

- C'est-tu à cause de tes performances que t'as accumulé tous ces trophées ridicules dans ta bibliothèque.

Son regard est froid. Moi, je sautille comme Farfelu Man.

- Respecte-moi... je suis double champion olympique en slalom géant.

- Bravo... clap, clap, clap, clap, clap, clap, clap.

J'applaudis chaleureusement d'un ton railleur.

- Sors de mon bureau, ou j'appelle le 911.

Son visage blême s'empourpre progressivement.

- Tu peux simplement appeler la sécurité. Leurs moustaches sont plus charnues que celles des chauffeurs d'autobus; leur bite, plus grosse que celles des flics; leurs lunettes, plus fumées que celles de Sylvester Stallone dans... *GONE WITH THE WIND*. Je scrute furtivement ma montre. Le cours de psychologie de la cœxistence va bientôt débuter. Sa gueule de juge se fane soudainement.

- Je dois vous quitter. Bonne chance dans l'endoctrinement de vos étrons métalliques verts. J'ai déjà connu des lesbiennes travailleuses sociales qui s'activaient plus que ça.

Une simple transaction surpasse le montant de mes prêts et bourses. Ça me permet de me renflouer. De payer mes dettes de saucissons. Le supermarché attenant à mon taudis me vend du saucisson et du lait 2 %. Je survis dans ce carnaval déplorable bâti pour mes monstrueux aînés *clean* machin chouette. Je subis leur cinéma hollywoodien, leur *dance music* et leurs dépliants du CLSC. Je vis comme un rat dégoûtant, une charogne répugnante, un pantin de cale de bateau. Parfois je fabule en divaguant sur mon avenir fétide. Néanderthale convulsion dans un cri lointain qui se répercute *uppercut*. Vois la belle mûle. Je suis obèse, flasque et laid. L'épiderme jalonné de furoncles purulents qui explosent furieusement. La toison graisseuse ramassée dans une couette Saint-Rock. Je chausse des bottes è cap bon marché. Je porte un jeans foncé de chez Zellers et un gilet noir *heavy* trop serré. Je suis un Burger King de la rue des putes; j'impose ma loi au Harlequin. Je pète des relents de soufre cadavérique. je tabasse pour prouver plein de choses que j'ignore. Je n'ai aucune introspection. Je suis une merde verte métallique. Un salopard qui enfle comme une infection, comme une cathédrale. Je gonfle des muscles de foutaises abjectes apprises sur le trottoir. Je vieillis en décrépitude, latente comme une excroissance cancéreuse dans mon cerveau. J'honore des messes poisseuses en faisant crisser mes roues *shinées* de *Duster jacké*. Au centre commercial,je bouffe en dégueulasse un cornet de crème glacée. Pendant que ma grosse blonde, bourrelets comme des ressacs, peigne ses franges de *coat*. Ce serait ça, mon Club Med. Ça vaut mieux qu'une barrique de cyanure du Provigo inc... Faire tout avec style, ou ne rien faire du tout... gigot blanc tuméfié, escalope au beurre noir. D'un autre angle maintenant. J'ai la chevelure rasée imbibée de gel. L'œil menaçant et torve du douanier. Une calotte des Raiders d'Oakland. Une redingote chatoyante et nébuleuse des Dolphins de Miami. J'agite un petit drapeau Oncle Sam en guise de protestation. Mon jean est prédéchiré proprement et payé à crédit au Château. Wow. Je me paye la dernière nouveauté chez Sam the Recordman. Je vante les mérites du rap, car les Noirs sont mes amis. Je fantasme sur les vedettes de basketball. Je m'inscris au cégep Garneau en technique policière. Je ne tolère jamais l'odeur d'un joint. J'appelle aussitôt les autorités concernées. Pour me donner l'impression d'être intelligent, je jacasse, prétentieux, comment préparer du café marocain instantané, les yeux bandés. J'écaille des arachides avec mes orteils. Je pose pour la page centrale de Playgirl. Je fais des études de droit à l'université Laval. Je danse le vendredi soir au Pollack. Je baise une poupoune dans mon char en portant une capote. Elle geint parce que jamais elle n'a senti une si grosse anguille dans son eau salée. On me confisque ma petite monnaie de paranoïa. Le gouvernement est là pour m'aider dans mes élections. Je coiffe une perruque blanche argentée. Je frappe avec un marteau en bois sur une table en bois. L'audience s'est levée d'un bond à mon entrée. Je bande pour l'éternité. Je mijote, sinistre, un État policier. Je multiplie les frontières. J'éjacule dans le dos du greffier. Ma vie est impeccable. J'ai gagné mon ciel. Hou, hou, hou, hou, hou, hou. Arsenio Hall me téléphone à frais virés. J'esquisse un large sourire de cimetière. Rictus de fantôme. Mes dents rêvent comme des pierres tombales, lychen, vaseuses. Exhibition macabre des têtes livides, ciel venteux. Au lieu de ce formidable portrait, je croupis dans les bas-fonds comme un lézard fainéant. Je revends outrageusement des merdes vertes métalliques. Je m'évache sous les escaliers métro du cégep de Sainte-Foy. Moisissant dans une grotte humide du comité de théâtre en prières violentes de moines trappistes. Mes copains religieux frayent également avec le commerce illicite de merde verte. Chacun fait sa petite affaire sans trop l'ébruiter. Même dans les égoûts, on n'est pas à l'abri des invectives des laveurs de vitres espions. Nous avons dû en expulser quelques-uns récemment, qui avaient malencontreusement infiltrés le saint lieu monastique. Ils répandaient insidieusement leur odeur et leur goût âpres de merdes vertes métalliques. *Vade retro excrementa.* Nous, membres du comité des trappistes, vendons ce dont nous sommes jaloux. Je décrète au nom des plottes médiatiques que nous sommes... JALOUX. Fantastique cauchemar bucolique d'association génitrice. Plouk... goutte bleue. Arabesque phosphorescente fumigènée sur murs crasseux de caves froides... gingembre. J'ai posé mon cul sur un siège droit et rude. Je fixe le cul du professeur de psychologie de la cœxistence. La classe est bondée de petits étrons vets métalliques. Quand ils se cognent entre eux, on entend bing, bang. Un son creux et rauque d'alambic vide. Un peu comme l'homme de fer dans *Le Magicien d'Oz* lorsqu'il marche dans le sentier de briques roses. J'aimerais que les sept nains déchirent la robe de Blanche-Neige et la fourre. La prof régurgite un discours moralisateur. C'est pour ça qu'elle est engagée. Peut-être aussi à cause des propriétés de ses muqueuses, très sollicitées par la société mâle.

Je vois d'un œil la possibilité de devenir un funambule gaucher qui fume de la droite. Je maugrée bourrument dans le fond de la classe. Je souhaite plonger dans l'eau du Loch Ness. Les suceux à carcasse d'alambic me rabrouent en chuintant le doigt mort, perpendiculaire à leurs lèvres vertes, pulpeuses. Je grogne stupidement en faisant grincer mes pattes de chaise. J'attire l'attention du corps féminin qui professorise. Elle me roule des yeux désapprobateurs. C'est dans la poche. Je vais sûrement la sauter. Je vais saupoudrer ma graine avec du paprika. Je vais la cuire comme un petit poulet barbecue. C'est une poule baisable. Elle est déjà cuisinée. Je rote des arômes épicés en guise de préliminaires. Pour l'instant, elle nous livre les recettes du succès dans la vie: l'hypocrisie, la télévision, le jogging, la bouffe diète, l'amour sur la plage, le neuf à cinq, des portes deverrouillées, des croyances en masse, l'achat d'un ordinateur et l'attente en file; tout ça pour devenir adulte. Elle tisse pour nous les toiles d'araignées avaleuses de feu triste. Elle raconte comment il est avantageux d'inscrire son nom dans le bottin téléphonique. Soudainement, je suis atteint d'une récidive de délire de merde verte métallique. C'est probablement dû aux interférences des ondes d'autrui ou à une surexposition à la CTCUQ. Je la vois nue, cette poufiasse de luxe à la toison nacrée. Elle traverse dans son bureau sans ses vêtements. Je ramasse ses frusques et je la suis. Sur mon sillage épicurien, je referme la porte orange de son burau. Elle est à plat ventre sur sa table. Elle embrasse l'écritoire en laissant des traces de rouge. Puis elle remue son cul dans un rituel pudibond. Sa vulve goûte l'ammoniaque. Peut-elle brûler et avaler ma bite? Voyons donc! Je l'emmanche et je la pompe pour trouver ma nappe de pétrole. Tout le monde a le droit de découvrir une nappe de pétrole ou un Klondike. On est en Amérique, Non? Ses cuisses tièdes frémissent. Sa taille malingre se tortille à chaque coup de bite comme une locomotive 1920. Ses pamplemousses fermes et hâlés s'écrabouillent et collent à la paroi mouillée. Elle pleurniche en se cramponnant. On dirait que ma bite est construite en nickel tellement le coït se prolonge au-delà du simple plaisir extatique comme pour atteindre l'épuisement. Au moment de l'orgasme-éclair-tempête, je me retire. Elle se retourne et s'age-nouille. J'arrose sa gueule de nymphe béante, en extase. De solides jets de foutre odorants inondent son visage d'ange. Des grumeaux de sperme mar-tien pâlissent sa douce peau ambrée. Elle geint et soupire de satisfaction. J'aurai sûrement 100 % sur mon bulletin. Ça augmentera sensiblement ma moyenne générale. Peut-être que je serai admis dans une sphère scientifique contingentée et m'échap-perai de ma piètre condition sociale. Elle grabe ma bite qui pulse et perle. Ma bite est tavelée de sa miasme d'anus. Elle pète des gaz nitreux accroupie en canard sur ses pieds frêles et poussièreux. Puis elle tourne sa langue pour manger toute la *dèche* filandreuse irradiant des éclats de glaces sur mon gland. Comme elle est belle, ma pipeuse psycho-pium. L'air est froid. Ça lui donne la chair de poule.

On est tard le soir. Elle va récupérer son slip blanc, son tailleur belge, les enfile en faisant jaillir ses courbes. Elle s'empresse de retourner à son carosse avant la métamorphose en citrouille gracieuse. Le cours se termine. Je suis devenu indiscutablement une de ces merdes métalliques vertes. Au secours!... Je lirai Balzac dans l'autobus n° 7 direction Vieux-Québec.

Ouf!... Je sors de mon cours. Je prends mon horaire chiffonné dans ma poche. Je suis dans le dégagé de l'aile G. Tout le monde est superficiel. La radio joue du Guns and Roses. Je vais craquer. La scène la plus intéressante se déroule à l'intérieur des machines distributrices. Je vise mon horaire presque déchirée. Prochain cours; Local n° 108, philoophie de la détérioration. Quelqu'un me tape sur l'épaule. La musique de Guns and Roses lobotomise mon âme. Mes tympans se révoltent. Je deviens sourd. Une nuée d'étrons verts métalliques est attablée, disséminée près d'un comptoir de café irlandais. Ils ne se disent rien, mais leurs lèvres bougent sans arrêt. Deux clowns sautillent devant moi. L'un est gros, l'autre, petit. Ils portent tous les deux des feutres noirs masquant leur œil crevé. Ils ressemblent à de vils pirates, mais en fait, ce sont de vils trappistes. Iles sont memvres du local, amis et vendeurs d'étrons verts métalliques eux aussi. Dans le dégagé, la fausse beauté clinquante peignant les imbéciles autour d'eux les rend terriblement hideux.

- Salut les billes de Pinball, dis-je d'un ton amical, l'haleine rassis par le café.

- On a dessiné des tas de graffitis malsains sur les murs. On a greffé euh... distraitement un singe vivant dans le ventre de Sandy. On a élaboré des stratégies schizoïdes pour le prochain tournoi d'impro. On s'est fait des lavements à l'acide sulfurique. On a pendu Jack au plafond avec un fil de micro qui traînait. On a taché le vieux fauteuil de sang en fourrant une fille de l'Éclosion... elle était menstruée...

- Qu'est-ce tu veux qu'on fasse ? s'écria le petit, raclant ses cheveux pouilleux.

- Petite journée tranquille quoi! répliquai-je, haletant comme un rat souffreteux.

- Vas-tu venir faire ton tour au local. On est supposé initier Pitt en lui crevant un œil avec un ouvre-boîte rouillé. On lui a même acheté un bandeau de pirate. Y va être content.

- M'enfin y va être dans gang, réplique le gros en fumant une cigarette.

Ses doigts sont très, très jaunes. Quand il aspire une bouffée, il peut avaler la couche d'ozone.

- Ce serait dommage, les étrons verts métalliques ne pourraient plus se faire griller. On leur donnerait enfin une raison écologique de porter calottes et verres fumés

- Il faut que j'aille faire un tour à la clinique d'avortement après mon cours de philosophie de la détérioration. Le médecin fou a reçu une nouvelle cargaison de fœtus de métal vert. L'autre fois, le cinglé de toubib s'est ouvert le bide juste devant moi. Il est allé récupérer un bistouri qu'il avait avalé en jouant.

- T'essayeras ça. Ça clenche en tabarnak.

Il s'est *tapé* l'estomac avec des élastiques. Y paraît qu'on digère mieux après. Tant qu'à gaspiller une fortune en Rolaids. Garde tes prêts et bourses pour t'acheter de la drogue. Ou bien... pour payer le déductible pour la pose de ton œil dc vitre. Dans le dégagé, la tension a monté. On a éprouvé une sensation désagréable. Nous sommes en butte à une hostilité kafkaïenne. On pense que les étrons verts métalliques savent tout de notre secret. Au cégep de Sainte-Foy, tout le monde collabore avec la direction. La direction collabore avec les laveurs de vitres espions. Les laveurs collaborent avec le ministère du Contrôle des naissances. Le ministère collabore avec la télévision. La télévision avec Dieu. Dieu avec les *babyboomers*. Je vous le confie sans être alarmiste. Je vous le chuchotte au creux de l'oreille, à travers les hurlements insipides de Guns and Roses. Je me sens en butte à l'hostilité. Ici... dans le dégagé de l'aile G, l'hostilité est kafkaïenne. J'ai écrit un graffiti sur la paroi de notre repaire situé sous l'escalier de l'entrée métro. Dans la moiteur de la caverne, les brigands de la société théâtrale peuvent y lire: «La merde verte métallique est plus digne que l'homme... On ne peut y être indifférent.»

Hurler avec les loups

par Michel Brûlé

Montréal, le 17 octobre 1994

J'avais quatorze ans la première fois que j'ai entendu Pierre Bourgault prononcer un discours. Il n'avait pas eu besoin de parler très longtemps pour me convaincre. En l'entendant, j'ai découvert en moi un fervent nationaliste.

En 1967, j'étais sur la place Jacques-Cartier quand le général de Gaulle a crié: «Vive le Québec libre!» Jamais je n'avais vécu un moment empreint d'une telle émotion. Une profonde fierté d'être Québécois s'était emparée de cette foule qui pleurait de joie. J'avais eu l'impression d'assister à un mariage. C'était comme si tout le monde avait fait un vœu: pour le meilleur et pour le pire, on aspirait à notre bonheur collectif, l'indépendance du Québec.

À la suite de cet événement, nombreuses ont été les déceptions. En 1970, le Parti québécois ne faisait élire que six députés. Puis vint la crise d'Octobre...

Je n'avais jamais été un sympathisant du FLQ. Je croyais au processus démocratique et j'étais d'avis que le terrorisme nuisait beaucoup à notre cause.

On aurait dit que l'action des felquistes nuisait à l'indépendance. D'ailleurs, les fédéralistes avaient récupéré la crise d'Octobre pour faire croire aux Québécois que le FLQ et le PQ, c'était la même chose. Cette campagne de salissage avait si bien fonctionné que je me demandais si le FLQ n'était pas en réalité un pantin du fédéral.

Si tel était le cas, les fédéralistes avaient bien réussi leur coup. Pendant plus de six ans, Trudeau et Bourassa, deux salauds et deux traîtres, avaient neutralisé les forces indépendantistes, mais ils avaient surtout humilié les Québécois.

Heureusement, nous avons eu notre revanche. Le 15 novembre 1976, le Parti québécois s'était fait élire et je n'avais jamais été aussi heureux de toute ma vie.

Une fois l'enthousiasme délirant passé, je me suis mis à douter de la stratégie de René Lévesque. Il semblait vouloir attendre avant de tenir un référendum sur la souveraineté du Québec.

J'étais persuadé qu'il fallait battre le fer quand il est chaud. Plus les années passaient, plus je m'inquiétais. J'ai repris espoir lorsque Joe Clark est devenu Premier ministre du Canada. Certes, que Lévesque n'encourage pas la formation d'un parti indépendantiste sur la scène fédérale et surtout, que les Québécois aient encore voté pour ce traître de Trudeau, m'avait déçu. Toutefois, je croyais que le Parti québécois avait déjoué mes calculs et qu'il allait profiter de la présence de Jœ Clark pour tenir son référendum. Une telle décision eût été extraordinaire, car tous savent que ce dernier aurait eu toutes les difficultés du monde à vendre le fédéralisme aux Québécois. Malheureusement, Lévesque avait laissé passer cette chance en or et avait attendu que Trudeau revienne en force pour tenir son référendum.

En 1980, j'avais trente ans. J'étais titulaire de baccalauréats en communication et en science politique et je travaillais en marketing. J'avais posé ma candidature pour devenir un des stratèges du référendum. Les dirigeants du Parti québécois m'avaient fait passer une entrevue, mais ils avaient refusé mes services sous prétexte que j'étais trop radical. Furieux, j'avais retorqué, avant de claquer la porte, que j'étais aussi radicalement indépendantiste que les fédéralistes sont radicalement fédéralistes.

Je ne m'étais pas trompé. Trudeau et sa bande de traîtres attardés avaient multiplié les coups bas. Ils avaient fait peur aux vieux et aux ignorants en leur disant qu'ils perdraient leurs chèques de vieillesse et les chutes Niagara s'ils votaient oui et ça avait fonctionné. Comme je m'y attendais, Morin et Lévesque, avec leur étapisme et leur *fairplay*, n'avaient pas répliqué.

Jusqu'à la dernière minute, j'ai espéré que le PQ ait raison et je rêvais à la victoire. Puis, quand j'ai appris les résultats, j'ai pleuré comme un enfant. J'étais au centre Paul-Sauvé et comme les autres, j'attendais René Lévesque. J'avais ravalé mes larmes et j'étais redevenu stratège.

La balle était dans le camp des fédéralistes. Il fallait leur laisser jouer leur manche. Ils brûleraient, c'est certain. À la place de Lévesque, j'aurais dit au peuple québécois: «Vous avez dit non à la souveraineté. Eh bien! dès demain, à l'Assemblée nationale, je vais déclencher des élections! Cette fois-ci, le Parti québécois ne fera pas de campagne et va s'arranger pour perdre. Nous voulons que le Parti libéral gagne et qu'il aille renouveler le fédéralisme. Nous savons d'avance que ce sera un échec, car le Canada est impossible. Tôt ou tard, dans un an ou deux, il devra se présenter devant le peuple du Québec et déclencher de nouvelles élections. C'est là que nous reviendrons en force avec un nouveau référendum que nous allons gagner. Souverainistes! Ravalez vos larmes et retroussez vos manches en vue du prochain rendez-vous.»

Lévesque se présenta sur scène et déclara: «Si je vous ai bien compris, ce sera pour la prochaine fois.» À ces mots, tout le monde s'est remis à pleurer. Quant à moi, je rageais. Avec une seule phrase, Lévesque venait de remettre le projet d'indépendance aux oubliettes. Puis, comme s'il voulait à chanter *Gens du pays*. Les gens pleuraient à qui mieux mieux, moi, j'étais révolté.

Lévesque n'avait pas fini son travail de sabotage. Il a vendu ses idéaux pour s'accrocher au pouvoir en faisant tout pour gagner les élections de 1981. Puis, en plus de remettre le projet d'indépendance aux calendes grecques, il s'est converti au fédéralisme.

En l'espace de quelques années, alors qu'il incarnait l'idéalisme, Lévesque, par son comportement, a entraîné chez les Québécois un désabusement généralisé. Consciemment ou inconsciemment, Lévesque plongea le Québec dans une des périodes les plus noires de son histoire. En effet, dans les années quatre-vingt, le Québec a vécu de longs moments de profonde dépression. Sachant que le rationalisme fut de tout temps le moteur de la culture québécoise, le «suicide» de Lévesque avait tué le Québec.

Heureusement, il y eut l'échec prévu de Meech. Au lendemain de cette nouvelle impasse constitutionnelle, les sondages disaient que 80 % des Québécois étaient pour l'indépendance. Du jamais vu! Le problème, c'était que Bourassa était alors au pouvoir. Fidèle à lui-même, il ne fit rien. Il tergiversa pendant plusieurs années en semant la confusion dans la population. Certains croyaient même qu'il ferait la souveraineté. Fidèle à lui-même, il ne fit rien. Par son immobilisme, il espérait de noyer le poisson. Il réussit, car son comportement avait fait perdre des dizaines de points à l'option souverainiste.

Nous sommes en 1994. J'ai quarante-quatre ans. Nous nous sommes débarrassé des Trudeau, Bourassa et Lévesque qui ralentirent, chacun à leur manière, le projet indépendantiste. Le Parti québécois vient de gagner les élections. Aujourd'hui les adversaires sont Chrétien et le futur chef du PLQ. Ceux qui portent le flambeau de l'indépendance sont les Bouchard et les Parizeau. Et il y a moi... Cette fois-ci, ils vont m'engager. J'ai ma stratégie. Félix Leclerc se fit reconnaître au Québec quand il fut louangé en France. On fera donc des *clips* publicitaires où des Français, des Allemands, des États-Uniens, des gens de partout quoi! feront l'éloge d'un Québec souverain. Voilà pour les messages positifs et constructifs. Hélas! ce ne seront pas les plus importants. L'essentiel sera de répondre aux attaques des fédéralistes, et elles seront nombreuses! Cette fois-ci, il faudra être aussi radicaux qu'eux. Fini le *fairplay*! Il faudra hurler avec les loups. Nathalie Lambert a perdu une médaille d'or à Lillehammer à cause de son *fairplay*. Elle savait Cathy Turner une vraie salope et n'avait qu'à jouer le même jeu qu'elle, et gagner. Le *fairplay* n'est pas un prix de consolation.

Si les fédéralistes font les voyous et réussissent encore à faire peur aux vieux, nous demanderons à des voyous de descendre dans la rue pour faire peur aux vieux afin qu'ils n'aillent pas voter. Les fédéralistes multiplieront les coups bas et nous répondrons coup par coup. On va hurler avec les loups. Le prochain référendum est celui de la dernière chance.

Table des matières